中华人民共和国国家标准

煤炭矿井通信设计规范

Code for communication design of coal mine

GB 51213 - 2017

主编部门：中 国 煤 炭 建 设 协 会
批准部门：中华人民共和国住房和城乡建设部
施行日期：2 0 1 7 年 7 月 1 日

中国计划出版社

2017 北 京

中华人民共和国国家标准

煤炭矿井通信设计规范

GB 51213-2017

☆

中国计划出版社出版发行

网址：www.jhpress.com

地址：北京市西城区木樨地北里甲11号国宏大厦C座3层

邮政编码：100038　电话：(010) 63906433（发行部）

三河富华印刷包装有限公司印刷

850mm×1168mm　1/32　1.25印张　28千字

2017年4月第1版　2017年4月第1次印刷

☆

统一书号：155182·0072

定价：12.00元

中华人民共和国住房和城乡建设部公告

第 1450 号

住房城乡建设部关于发布国家标准《煤炭矿井通信设计规范》的公告

现批准《煤炭矿井通信设计规范》为国家标准，编号为 GB 51213—2017，自 2017 年 7 月 1 日起实施。其中，第 4.0.1、4.0.11、4.0.13、4.0.14、4.0.15（1、2、3、4、5）、4.0.17、6.0.1、6.0.2 条(款)为强制性条文，必须严格执行。

本规范由我部标准定额研究所组织中国计划出版社出版发行。

中华人民共和国住房和城乡建设部

2017 年 1 月 21 日

前　　言

本规范是根据住房城乡建设部《关于印发〈2011年工程建设标准规范制订、修订计划〉的通知》(建标〔2011〕17号)的要求,由中煤科工集团南京设计研究院有限公司和中国煤炭建设协会勘察设计委员会会同有关单位共同编制完成的。

本规范在编制过程中,编制组经广泛调查研究,认真分析、总结和吸取了近年来矿井通信建设发展的实践经验,特别是近年来矿井通信的新技术、新工艺和新的科研成果,并注意与相关标准的衔接,经广泛征求意见,反复修改,最后经审查定稿。

本规范共分8章,主要内容包括:总则,术语,行政通信,调度通信,其他通信,通信传输设备及线路,通信机房和供电、防雷与接地。

本规范中以黑体字标志的条文为强制性条文,必须严格执行。

本规范由住房城乡建设部负责管理和对强制性条文的解释,中国煤炭建设协会负责日常管理工作,中煤科工集团南京设计研究院有限公司负责具体技术内容的解释。本规范在执行过程中,请各单位结合工程实践,认真总结经验,如发现需要修改或补充之处,请将意见和建议寄至中煤科工集团南京设计研究院有限公司(地址:江苏省南京市浦口区浦东路20号,邮政编码:210031),以便今后修订时参考。

本规范主编单位、参编单位、主要起草人和主要审查人:

主 编 单 位:中国煤炭建设协会勘察设计委员会

中煤科工集团南京设计研究院有限公司

参 编 单 位:煤炭工业合肥设计研究院

中煤科工集团北京华宇工程有限公司

江苏省土木建筑学会智能建筑与智慧城市专业委员会
合肥工业大学高科信息技术有限责任公司

主要起草人： 刘延杰　于为芹　李定明　刘　阳　胡大伟
帅仁俊　龚延风　管清宝　向运平　夏乃兵
郭成慧　潘正云　胡腾蛟　刘杰峰

主要审查人： 刘　毅　曾　涛　吕建红　冯　强　沈　涓
魏　臻　徐自军　王瑞明　鲜力岩　姚　义
胡家运　翟　炯

目　　次

Contents

1 总　　则

1.0.1 为贯彻执行我国煤炭工业安全生产的各项法律法规和方针政策，规范矿井通信系统的工程设计，保证通信系统合理配备，提高矿井安全生产管理水平，实现煤矿管理现代化，制定本规范。

1.0.2 本规范适用于设计生产能力0.09Mt/a及以上的新建、改建和扩建的煤炭矿井通信系统的设计。

1.0.3 矿井通信系统应从我国国情及矿井具体条件出发，因地制宜地采用新技术、新设备、新材料；淘汰落后设备，做到技术先进、经济合理、安全适用。

1.0.4 矿井通信系统设计，应选择具有煤矿矿用产品安全标志“MA”认证的设备和系统。

1.0.5 矿井通信系统设计除应符合本规范规定外，尚应符合国家现行有关标准的规定。

2 术　语

2.0.1 矿区行政通信系统　administrative communication system of mining area

以矿区为中心，矿区内各单位之间以传递安全生产、经营管理等信息为主的地面通信系统。

2.0.2 矿井行政通信系统　administrative communication system of mine

以矿井为中心，矿井内各单位之间以传递安全生产、经营管理等信息为主的地面通信系统。

2.0.3 矿区调度通信系统　dispatch communication system of mining area

以矿区为中心，专供矿区调度中心指挥用的，调度中心与矿区各矿井、安全、生产单位之间的通信系统。

2.0.4 矿井有线调度通信系统　wired dispatch communication system of mine

以矿井为中心，专供矿井调度指挥用的，调度室与地面、井下各生产环节和有关辅助环节之间的有线通信系统。

2.0.5 矿井移动通信系统　mobile communication system of mine

使用无线传输或无线传输与有线传输相结合方式，实现矿井井下移动体之间或移动体与固定体之间的通信系统。

2.0.6 矿井救灾通信系统　communication system for disaster rescue

用于矿井井下发生事故需要紧急救援时的通信系统。

2.0.7 井下应急广播系统　underground emergency broadcast system

用于矿井井下发生事故预警或事故时，通知人员撤离或采取安全措施而需要发出应急指示的广播系统。

3 行政通信

3.0.1 矿井应设置行政通信系统。中型及以上矿井宜分别设置行政电话交换系统和有线调度电话交换系统，并宜选用数字程控电话交换设备。

3.0.2 矿井行政电话交换系统在有线调度电话交换系统选用矿用型数字程控调度交换设备时，矿井行政电话交换机和有线调度电话交换机可合用矿用型数字程控调度交换设备。

3.0.3 有条件的矿井可利用公共交换电话网(PSTN)的虚拟交换功能，实现行政电话交换系统功能。

3.0.4 矿井行政通信所选用的行政电话交换机设备应具有国家颁发的入网许可证。

3.0.5 矿井行政电话交换机的主要功能应符合下列规定：

1 应能提供普通电话业务，并宜提供综合业务数字网(ISDN)通信和IP通信等业务；

2 宜具有汇接功能和虚拟用户交换机功能；

3 应具有多级呼叫限制、等位/非等位拨号、自动话务台、人工话务台等功能；

4 应具有系统的自动检测、诊断、声光报警、记录输出及系统维护等功能，并宜具有远程维护功能；

5 应具有计费管理系统功能；

6 应具有扩容功能。

3.0.6 矿井行政电话交换机的主控板、电源板应具有热备份，并应能带电插拔。

3.0.7 矿井行政电话交换机的容量设计应符合下列规定：

1 矿井生产、行政办公用房和辅助办公用房宜按 $10m^2$～

20m² 面积设 1 部电话；

2 单身宿舍宜每个房间设 1 部电话；

3 安全、生产和管理岗位应按岗位需求设置电话；

4 生活辅助用房应按实际需求设置电话；

5 矿井行政电话交换机应留有不少于 20%的备用容量。

3.0.8 矿井行政通信系统应与所属矿区行政通信系统或公共交换电话网(PSTN)联网。

3.0.9 矿井行政通信系统与矿区行政通信系统或公共交换电话网(PSTN)联网时，宜采用数字中继和 No.7 信令方式，并宜采用全自动直拨中继方式。中继线数量宜按矿井行政电话交换设备容量的 10%～15%配置。采用数字中继时，中型及以上矿井不宜少于 2 个 E1 数字接口，速率应为 2048kb/s。

3.0.10 矿井行政电话交换系统应配置电话配线设备。

3.0.11 矿井行政通信系统设计除应符合本规范规定外，尚应符合现行国家标准《数字程控自动电话交换机技术要求》GB/T 15542 和《程控数字用户自动电话交换机通用技术条件》GB/T 14381 的有关规定。

4 调度通信

4.0.1 矿井必须装备有线调度通信系统。

4.0.2 矿井有线调度通信交换系统宜选用矿用型数字程控调度交换设备。

4.0.3 根据生产组织系统的实际需要，矿井有线调度通信系统可设置矿井局部生产环节的调度电话。

4.0.4 矿井有线调度通信系统所选用的调度电话交换机设备应具有国家颁发的入网许可证。

4.0.5 矿井有线调度交换机的主要功能应符合下列规定：

1 应具有数字程控调度电话交换机业务功能，并宜提供综合业务数字网(ISDN)通信和IP通信等业务功能；

2 应具有适用于煤矿安全生产的调度业务功能；

3 宜具有汇接功能和分组调度功能；

4 应具备系统数据备份和恢复、数字录音、多席位调度等功能。调度台应具有选呼、急呼、全呼、强插、强拆、监听、广播等功能；

5 应具有系统的自动检测、诊断、声光报警、记录输出及系统维护等功能，并宜具有远程维护功能；

6 应具有扩容功能。

4.0.6 矿井有线调度电话交换机的主控板、电源板应具有热备份，并应可带电插拔。

4.0.7 矿井有线调度电话交换机的容量设计应符合下列规定：

1 有线调度电话交换机的容量应根据矿井安全生产和管理岗位的需求，以及中远期发展需要等因素综合考虑确定；

2 有线调度电话交换机应留有不少于20%的备用容量；

3　数字录音存储设备的容量不宜低于30d的语音信息量。

4.0.8　矿井有线调度交换机的调度台应设置在矿井调度室，宜配置不少于2台双座席调度台设备。

4.0.9　矿井有线调度通信系统的组网方式和中继方式应符合下列规定：

1　矿井有线调度通信系统应与矿井行政通信系统联网；中继线数量宜按矿井有线调度电话交换设备容量的10%～15%配置；采用数字中继时，中型及以上矿井不宜少于2个E1数字接口，速率应为2048kb/s；

2　矿井有线调度通信系统应与上级矿区调度通信系统联网，组成矿区调度通信系统；中继线数量宜按矿井调度电话交换设备容量的10%～15%配置；采用数字中继时，中型及以上矿井不宜少于2个E1数字接口，速率应为2048kb/s。

4.0.10　矿井有线调度电话交换系统应配置电话配线设备。

4.0.11　矿井有线调度电话交换机系统的矿用通信电缆在进入井下及地面爆炸性环境之前，必须安装电话安全耦合器。

4.0.12　矿井有线调度通信系统井下及地面爆炸性环境中的调度电话机，应采用本质安全型产品。

4.0.13　采掘工作面、井下水泵房、井下中央变电所、井下紧急避险设施、井底车场、运输调度室、采区变电所、上下山绞车房、主要机电设备硐室、爆破时撤离人员集中地点、突出煤层采掘工作面附近、采区和水平最高点、炸药库值班室、主副井绞车房、地面变电所、压风机房、地面通风机房和瓦斯抽放泵站等地点，必须设有与矿井调度室直通的有线调度电话。

4.0.14　矿井救护队、消防站必须设有与矿井调度室直通的有线调度电话，并应配有地面无线对讲系统。

4.0.15　矿井相关生产环节之间设置有线直通电话应符合下列规定：

1　采掘工作面及与其有直接联系的环节之间应设置直通

电话；

2 防火灌浆站与灌浆地点之间应设置直通电话；

3 罐笼提升系统的井底、井口、提升机房之间应设置直通电话；

4 箕斗提升系统的装载点、卸载点、提升机房之间应设置直通电话；

5 升降人员的斜井或斜巷提升系统的车场与提升机房之间应设置直通电话；

6 其他局部电话联系较多的生产环节之间应设置直通电话。

4.0.16 带式输送机系统的机头与胶带沿线作业点之间应设置有线直通电话，并应具有扩音功能。

4.0.17 矿井地面主变电所至上一级变电所应设置专用的电力通信设施。

4.0.18 矿井有线调度通信系统设计除应符合本规范规定外，尚应符合现行行业标准《煤矿生产调度通信系统通用技术条件》MT 401和《煤矿生产调度自动交换总机通用技术条件》MT 405的有关规定。

5 其他通信

5.0.1 中型及以上矿井宜设置矿井移动通信系统。矿井移动通信系统宜与矿井有线调度电话系统联网。

5.0.2 井下移动通信无线信号宜覆盖胶带运输巷道、辅助运输巷道、主要人行巷道、变电所、主排水泵房、井下紧急避险设施、采掘工作面等有人员活动场所。

5.0.3 矿井移动通信系统应具备下列功能：

1 应具有选呼、组呼、全呼、急呼、强拆、强插、监听等集群调度功能；

2 应具有移动台与移动台、移动台与固定电话之间双向语音无阻塞通信功能；

3 宜具有短信收发功能；

4 应具有通信记录存储和查询功能；

5 应具有自动或手动启动录音和查询功能；

6 手机及基站宜具有脱网通信功能。

5.0.4 设置矿井移动通信系统的煤矿，下井带班领导、技术人员、区队长、班组长、瓦斯检查员、安全检查员、电钳工等流动作业人员，应配备矿用移动电话。

5.0.5 矿井移动通信系统设计除应符合本规范规定外，尚应符合现行行业标准《多基站矿井移动通信系统通用技术条件》MT/T 1115 有关规定。

5.0.6 矿井应设置井下应急广播系统，并应保证井下工作人员能够清晰听见应急指示。

5.0.7 井下应急广播应能覆盖人员较为集中的副井或升降人员的井口和井底、巷道交叉口、井下人员作业地点、主要机电硐室、等候室、井下紧急避险设施、带式输送机巷道、辅助运输巷道及主要人行巷道等。

5.0.8 条件具备时，矿井可设置矿井救灾通信或矿井应急通信等通信系统。系统设计应符合现行行业标准《矿井救灾通信系统通用技术条件》MT/T 1129 等相关标准的有关规定。

5.0.9 根据矿井的实际情况，矿井可采用卫星通信技术建立与上级管理部门的卫星应急通信系统。矿井卫星应急通信系统的设计应符合相关标准的规定。

5.0.10 需要设置卫星应急通信系统的矿井，应根据具体情况考虑天线设置位置及预留天线基础。

5.0.11 矿井应根据上级矿区总体规划设置矿区电视会议系统终端，系统功能和设备选型应根据矿区电视会议系统统一确定。

5.0.12 矿井宜设置有线电视(CATV)或网络电视(IPTV)。矿井采用有线电视(CATV)系统时，传输网络宜采用 860MHz 邻频双向传输系统。

5.0.13 有线电视(CATV)信号源宜引自矿区有线电视网或当地公用有线电视网。有条件的矿井，可设置卫星电视接收系统，并可自办电视节目。

5.0.14 有线电视(CATV)或网络电视(IPTV)的用户终端，根据矿井具体情况宜设置在单身宿舍、食堂、会议室、休息室和等候室等地点。

5.0.15 有线电视(CATV)系统设计应符合现行国家标准《有线电视系统工程技术规范》GB 50200 和《有线电视广播系统技术规范》GY/T 106 的有关规定。

6 通信传输设备及线路

6.0.1 矿井有线调度通信电缆必须专用。

6.0.2 矿井有线调度通信系统的本质安全电话机至调度交换机电话安全耦合器间的连接,应符合下列规定:

1 应采用矿用通信电缆直接连接;

2 严禁利用大地作回路;

3 严禁电话机就地供电;

4 严禁经有源中继器接调度交换机。

6.0.3 矿井有线调度通信系统的调度电话机至调度交换机的无中继通信距离不应小于10km。

6.0.4 矿井有线调度通信系统下井的通信电缆不应少于2条,同时使用时,应分设于不同的井筒或一个井筒保持一定间距的不同间隔内。相互之间应有联络电缆,并应在井下进行复接。当任一条电缆出现故障时,保证井下主要电话用户的连续通信。

6.0.5 矿井电话电缆芯线对数的备用量应符合下列规定:

1 矿井地面和井下干线不应少于20%;

2 立井井筒不应少于50%;

3 斜井井筒和平硐不应少于30%。

6.0.6 矿井地面非爆炸性环境建筑的通信线路布线设计应符合现行国家标准《综合布线系统工程设计规范》GB 50311的有关规定。

6.0.7 矿井地面工业场地宜统一建设通信管网,通信管网设计除应符合本规范外,尚应符合现行国家标准《通信管道与通道工程设计规范》GB 50373和《城市地下通信塑料管道工程设计规范》CECS 165的有关规定。

7 通信机房

7.0.1 矿井通信系统机房宜与矿井安全生产智能监控系统的机房和矿井调度室综合考虑设计。

7.0.2 矿井通信系统机房的设计应符合现行国家标准《煤矿安全生产智能监控系统设计规范》GB 51024 的有关规定。

7.0.3 矿井通信系统机房的设计除应符合本规范规定外，尚应符合现行国家标准《电子信息系统机房设计规范》GB 50174 的有关规定。

8 供电、防雷与接地

8.0.1 矿井通信系统机房用电负荷应为二级负荷，并应由两回路电源供电。当一回路电源发生故障时，可实现自动切换。

8.0.2 矿井通信系统机房应根据各系统的需要配备在线式不间断电源作为备用电源，并宜采用各系统集中配备备用电源的方式。

8.0.3 在电网停电后，矿井行政电话交换系统和调度电话交换系统机房的备用电源应保证系统连续工作时间不少于2h。高瓦斯、煤(岩)与瓦斯突出矿井宜保证各系统连续工作时间不少于4h。

8.0.4 矿井移动通信系统的备用电源应符合现行行业标准《多基站矿井移动通信系统通用技术条件》MT/T 1115的有关规定。

8.0.5 矿井救灾通信系统的备用电源应符合现行行业标准《矿井救灾通信系统通用技术条件》MT/T 1129的有关规定。

8.0.6 矿井通信系统机房的电源线路、通信线路应采取适当的防雷措施，并应根据需要设置适配的浪涌保护器。矿井行政电话交换机总配线架、调度电话交换机配线架应安装保安单元。

8.0.7 矿井通信系统机房应采取等电位连接与接地保护措施，并宜采用共用接地系统。

8.0.8 装设在地面室外的各种通信系统天线，应采取适当的防雷保护措施。

8.0.9 矿井通信系统的下井电缆和光缆的铠装层、屏蔽层、光缆金属件应在入井口处采取防雷接地措施。

8.0.10 矿井通信系统供电、防雷与接地的设计除应符合本规范外，尚应符合现行国家标准《煤矿安全生产智能监控系统设计规范》GB 51024、《建筑物电子信息系统防雷技术规范》GB 50343和《建筑物防雷设计规范》GB 50057的有关规定。

本规范用词说明

1 为便于在执行本规范条文时区别对待，对要求严格程度不同的用词说明如下：

1) 表示很严格，非这样做不可的：

正面词采用"必须"，反面词采用"严禁"；

2) 表示严格，在正常情况下均应这样做的：

正面词采用"应"，反面词采用"不应"或"不得"；

3) 表示允许稍有选择，在条件许可时首先应这样做的：

正面词采用"宜"，反面词采用"不宜"；

4) 表示有选择，在一定条件下可以这样做的，采用"可"。

2 条文中指明应按其他有关标准执行的写法为："应符合……的规定"或"应按……执行"。

引用标准名录

《建筑物防雷设计规范》GB 50057
《电子信息系统机房设计规范》GB 50174
《有线电视系统工程技术规范》GB 50200
《综合布线系统工程设计规范》GB 50311
《建筑物电子信息系统防雷技术规范》GB 50343
《通信管道与通道工程设计规范》GB 50373
《煤矿安全生产智能监控系统设计规范》GB 51024
《程控数字用户自动电话交换机通用技术条件》GB/T 14381
《数字程控自动电话交换机技术要求》GB/T 15542
《煤矿生产调度通信系统通用技术条件》MT 401
《煤矿生产调度自动交换总机通用技术条件》MT 405
《多基站矿井移动通信系统通用技术条件》MT/T 1115
《矿井救灾通信系统通用技术条件》MT/T 1129
《有线电视广播系统技术规范》GY/T 106
《城市地下通信塑料管道工程设计规范》CECS 165

中华人民共和国国家标准

煤炭矿井通信设计规范

GB 51213 - 2017

条 文 说 明

编 制 说 明

《煤炭矿井通信设计规范》GB 51213—2017，经住房城乡建设部2017年1月21日以第1450号公告批准发布。

为了便于广大设计、生产、施工等单位有关人员在使用本规范时能正确理解和执行条文规定，《煤炭矿井通信设计规范》编制组按章、节、条顺序编写了本规范的条文说明，对条文规定的目的、依据以及执行中需注意的有关事项进行了说明，并着重对强制性条文的强制性理由作了解释。但是，本条文说明不具备与规范正文同等的法律效力，仅供使用者作为理解和把握规范规定的参考。

目　次

1 总　　则

1.0.1 本条阐明了制定本规范的依据和目的。

国家颁发的一系列与煤矿安全生产有关的法律法规和方针政策，如《煤炭法》、《矿山安全法》等，是对煤矿安全生产进行宏观指导的根本法规，是制定本规范的基本原则和依据，必须认真贯彻执行。

我国矿井通信系统是在通信技术和信息技术迅速发展的背景下，经过逐步摸索和不断发展，才有了现在的比较适合国情的矿井通信系统，发展十多年来，一直缺少一部工程设计标准用以指导系统工程设计。因此，认真分析、总结十多年来矿井通信发展的先进技术和实践经验，特别是近年来矿井通信的新技术、新工艺和新的科研成果，编制一部矿井通信方面的工程设计标准，促进我国矿井通信持续发展，使煤矿安全生产水平不断提高，是制定本规范的目的。

1.0.2 本条明确了本规范的适用范围。

1.0.3 本条明确了矿井通信系统设计应遵循的基本原则。

1.0.4 本条依据国家煤矿安全监察局制定并颁布的《煤矿矿用产品安全标志管理暂行条例》的规定制定。目前，国家矿用产品安全标志中心（矿用产品安全标志办公室）颁布认证范围内的煤矿矿用产品，都必须在经过检测检验并获得"MA"认证后才能使用。

国家颁布的《安全生产法》第30条，国家安监总局发布的《煤矿安全生产基本条件规定》第13条、《煤矿企业安全生产许可证实施办法》第13条、《煤矿安全规程》第7条、《煤矿重大安全生产隐患认定办法（试行）》第12条、《劳动防护用品监督管理规定》第6条及一系列产品标准中，都明确规定了凡涉及安全生产的产品，必须取得安全标志。

3 行政通信

3.0.1 目前数字程控交换机已成为主流交换机，完全取代了模拟式交换机，且具有性价比高、易于扩充、功能强大的特点。

行政电话交换系统是煤矿日常行政工作信息传递的渠道，承载着繁杂的日常行政工作信息。有线调度电话交换系统是煤矿生产指挥中心，需及时处理矿井日常各种生产技术问题，调度员与各生产部门的联络要求可靠、快速、准确。中型及以上矿井的行政电话交换系统和有线调度电话交换系统工作量都比较大，为了互不干扰工作，所以宜分别设置。

3.0.2 矿用数字程控交换机，可使行政用户与调度用户合为一体。使用该交换机，调度用户可用自动拨号完成横向联络，调度员可利用无阻塞呼叫、紧急呼叫等直通性能，对调度用户完成纵向联络，克服了以往调度员代替话务员的缺点，使矿井行政电话和调度电话合用交换机成为可能。当选用这种交换机时，一般小型矿井可以不再另设调度总机。

3.0.3 有公共交换电话网(PSTN)资源条件的矿井，在选择矿井行政通信系统与公共交换电话网(PSTN)的接入方式时，宜考虑虚拟网接入的可能性。采用虚拟网接入，可节省行政电话交换机的安装空间及其空调等辅助设备的费用，不需用户维护，同时虚拟交换机不但具有用户程控交换机的功能，又可提供增值服务，系统升级与电信运营商同步。在有条件的地区，应对设置程控用户交换机和虚拟用户交换机两个接入方案进行论证，择优确定。

3.0.5 本条是对矿井行政电话交换机的基本功能要求。

3.0.7 以前在确定矿井行政电话交换机容量时，是根据矿井的在籍职工人数计算的，在当时的情况下，起到了一定的指导作用。近年来，随着矿井的机械化、自动化水平的不断提高，生产工效大幅度提升，导致矿井员工人数大大减少，而管理水平的提升又对矿井通信能力提出了更高的要求，再按照在籍职工人数计算行政电话交换机容量显然已不合适了。本条第1款是参照现行国家标准《综合布线系统工程设计规范》GB 50311的有关规定，结合矿井安全生产的特点，提出了本规定。第5款是考虑交换机不能满容量运行，以免影响通话率，同时又考虑了矿井行政电话中远期的发展。

3.0.8 一般矿井行政通信系统都是与其他矿井行政通信系统和矿区行政指挥中心联网组成矿区行政通信系统，矿区等位拨号，统一选择出口与公共交换电话网(PSTN)联网。矿区矿井数量少或地理位置分散的矿井，可以直接与公共交换电话网(PSTN)联网。

3.0.9 本条规定矿井行政电话交换设备对矿区行政通信系统或公共交换电话网(PSTN)联网时的中继数量。按矿井行政电话交换机容量10%～15%的配置，是模拟中继的数量，也可作为数字中继传输的参考。每个E1(速率为2048kb/s)可传30路，为1块板，不少于2个E1就是避免1个E1故障时通信中断。使用光缆时宜选用环形结构，是中继线备用路径投资较少的方案。

4 调度通信

4.0.1 多年实践证明，当发生矿难人员被困时，在其他与被困人员联系方式都中断的情况下，有线电话是最有可能与被困人员联系的手段。因此，矿井必须装备有线调度通信系统，且矿用有线调度通信电缆必须专用，这样可以为事故施救提供宝贵时间，为被困人员增加获救信心，降低事故的影响范围和程度。本条为强制性条文，必须严格执行。

4.0.2 现在的矿用数字程控交换机结合煤矿生产的特点，配置了更多适合煤矿生产调度指挥功能，因此，选用矿用型数字程控调度交换设备更符合煤矿生产调度指挥的要求。

4.0.3 一些煤矿生产的局部地点之间，由于生产需要联系频繁，可以设置局部调度电话，也可利用调度交换机的分组调度功能。

4.0.5 本条是对矿井有线调度电话交换机的基本功能要求。

4.0.7 确定矿井有线调度电话交换机容量时，是根据矿井的安全生产和管理岗位的需求和中远期发展需要等因素综合考虑确定，包括井上、井下需要设置的临时工作地点。

2 本款是考虑交换机不能满容量运行，以免影响通话率，同时又考虑了矿井有线调度电话中远期的发展。

3 本款规定了调度电话录音存储设备的最低容量。

4.0.9 本条规定了矿井有线调度通信系统的组网方式和中继方式。

1 矿井有线调度通信系统与矿井行政通信系统联网可极大地提高矿井安全生产指挥能力，提升矿井的管理水平。

2 矿井有线调度通信系统都是与其他矿井有线调度通信系统和矿区调度指挥中心联网组成矿区调度通信系统。对于一些属于地方的矿井,可以组成以地方煤矿行政管理部门为中心的调度通信系统。

4.0.11 本条是根据煤矿安全要求,规定无论井下和地面爆炸性环境中的有线调度通信必须是本质安全型的。电话安全耦合器就是把进入爆炸性环境中的电话电路从非本质安全型转换成本质安全型。本条为强制性条文,必须严格执行。

4.0.13 根据现行《煤矿安全规程》,本条所列场所都是矿井安全生产的关键部位,这些场所必须保持与矿井调度室的直接通信,对保证矿井的安全生产至关重要。本条为强制性条文,必须严格执行。

4.0.14 矿山救护队和消防站应该时刻保持与矿井调度室的通信,并且要直接通信不需转接,配有地面无线对讲系统是作为备用通信,目的是确保矿井有事故时救援及时。本条为强制性条文,必须严格执行。

4.0.15 根据现行国家标准《煤炭工业矿井设计规范》GB 50215,本条第1至5款所列地点之间都是矿井安全生产工作联系较多,并且安全生产工作比较重要的地点。它们之间设置直通电话,是为了保证矿井正常的安全生产不出问题,故这五款为强制性条款,必须严格执行。

4.0.16 一般皮带集控系统带有电话设备,主要为防止沿线发生皮带故障及时停机使用。

4.0.17 矿井主变电所至上一级变电所按电力系统要求,都要设置专用的电力调度通信。鉴于矿井供电的重要性,同时要求与矿井调度室必须有直接通信。本条为强制性条文,必须严格执行。

5 其他通信

5.0.1 由于通信技术迅猛发展，煤矿井下移动通信已广泛应用，并且日益成熟。根据现行《煤矿安全规程》，中型及以上矿井的安全生产可以配置移动通信，将移动通信系统与矿井有线调度通信系统联网，便于安全生产指挥调度，提高矿井安全生产调度指挥的灵活性和快捷性。

5.0.2 本条是根据井下工作人员经常活动的场所，要求移动通信无线信号需要覆盖的地方。

5.0.3 本条是根据现行《煤矿安全规程》，对矿井移动通信系统功能的基本要求。

5.0.4 本条是根据现行《煤矿安全规程》，对矿井移动通信系统的矿用移动电话配置要求。

5.0.6 本条根据现行《煤矿安全规程》，矿井应设置井下应急广播系统，由于井下工作环境的特殊性，所以要求保证井下工作人员能够清晰听见应急指示。

5.0.7 矿井井下应急广播系统的设置地点，是按照井下作业人员较为集中的区域设置原则，以利于广播信息的及时传递，事故时及时疏散。

5.0.8 有条件的矿井，设置矿井救灾通信或矿井应急通信等通信系统，以作为发生事故或灾害的情况下备用。

5.0.9 有些矿井的地理位置在偏远山区，周边又没有公共通信设施，与外部通信可考虑设置卫星应急通信系统。

5.0.10 设置卫星通信系统的端站，设计时要考虑天线的位置和基础。

5.0.11 基于我国通信和视频技术的飞速发展，电视会议系统普遍推广，矿井作为电视会议系统终端，需要矿区统一规划设置，以避免设备或接口不配套。

5.0.12～5.0.14 目前有线电视节目的获取有两种方式：有线电视(CATV)和网络电视(IPTV)。有线电视(CATV)信号源引自矿区有线电视网或当地公用有线电视网，选择有线电视(CATV)，矿井需要敷设有线电视传输网络，可设置卫星电视接收系统，并可自办电视节目。网络电视(IPTV)信号源来自互联网，利用矿井的互联网传输，不适合设置卫星电视接收系统和自办电视节目。

6 通信传输设备及线路

6.0.1 根据现行《煤矿安全规程》，矿井有线调度通信电缆必须专用，主要是为了保证矿井调度室与各安全生产岗位通信的安全性和可靠性，防止各种不必要的干扰，确保通信畅通。本条为强制性条文，必须严格执行。

6.0.2 根据现行《煤矿安全规程》，本条是为保证矿井有线调度通信本质安全电路的安全性和有效性，确保爆炸环境下的通信安全。本条为强制性条文，必须严格执行。

6.0.4 根据对一些矿区的调查，不少井筒通信电缆常有被砸坏的现象。为保证井下用户的通信，不仅井筒的电缆不应少于2条，而且强调相互之间应有联络电缆，当某条通信电缆出现故障时，另一条电缆根据用户重要性，及时承担井下主要用户或全部用户的通信，以保证重要用户通信畅通。

6.0.5 本条是对矿井电话电缆芯线对数备用量的规定。

备用量＝备用芯线对数/电缆芯线对数。

7 通信机房

7.0.1 矿井通信系统机房包括行政通信机房和调度通信机房。根据煤矿安全生产的需要，调度通信机房和安全生产智能监控机房与调度室宜设置在同一地点。从施工方便和节省成本考虑，行政通信机房也宜设置在同一地点或距离较近的地方。

8 供电、防雷与接地

8.0.1 矿井通信系统直接或间接涉及矿井的人员安全、生产安全和设备安全，所以本条规定矿井通信系统中心站机房应由两回路电源供电。

8.0.3、8.0.4 这两条对矿井通信系统机房备用电源的电池使用时间作了相关规定。其中，对备用电源工作时间规定为：在电网停电后，应能保证系统连续监控时间不少于2h；由于高瓦斯、煤（岩）与瓦斯突出矿井发生的事故恢复起来较为复杂，电网停电时，有时难以保证在2h内把事故处理好，考虑目前产品的实际参数水平，作出了系统工作时间不少于4h的规定。

8.0.7 矿井通信系统机房采用等电位连接与共用接地系统以减小各种接地设备之间、不同系统之间的电位差，并达到均压目的。本条是依据现行国家标准《建筑物电子信息系统防雷技术规范》GB 50343的相关规定制定的。